速写训练专集系列

类速维顺写

吉林美术出版社

作者简介

　　类维顺 1963 年出生于吉林省松江河林业局。1988 年毕业于吉林艺术学院美术系中国画专业，现为吉林大学艺术学院美术系副教授，硕士研究生导师。

编者的话

当一个儿子问他的画家父亲"你为什么画速写"时,父亲说:"画速写是成名成家的秘诀,是我的艺术生命,是我感悟人生的教科书,是我进入艺术殿堂的基石,是我进行艺术创造时的睡眠,是我存在银行里的支票,是我的私人日记,是我个人性格的写照……"这一席话道出了艺术家对速写的深刻认识。

速写是一种素描,而且是最为精炼的素描。它迅捷、准确、生动地描绘着事物的本质面貌和瞬间变幻的视觉感受。速写是一门视觉艺术,是研习视觉艺术的人终身都需要学习的一门艺术语言,是画家、设计师、建筑师取之不尽的财富,是艺术创作素材的宝库,是艺术家阐释生活、表达情感的工具。大师门采尔,他的手几乎就没有离开过画笔,看戏时连门票都画上了速写。凡成功的画家、设计师都对速写有着深刻的领悟,从他们的速写作品中,我们能感受到内容所释放出来的激情,他们巧妙地运用线、面、体、组织成视觉语言,用最为直接的表现手段,最为简练的表现形式,表达出了形象的深刻内涵。

常听有些人讲后悔没有坚持画速写,而丧失了作为艺术家的先决条件。这提醒着我们这些美术工作者,无论是已经有了成就的画家或设计师,还是即将步入美术设计学院的莘莘学子们,速写是我们的终身朋友,是素描艺术中最直接的、最灵活的表现形式,无论是现在还是将来,速写都将是我们必须钻研的内容。

学习速写会让人学会思考,养成正确的观察习惯,善于运用有效的表现手段,并且能从多角度、多时空捕捉对象内容,能运用多种技能、工具、材料构筑对艺术及生活的理解,同时也是克服长期课堂素描作业呆板的有效手段之一。目前,国内素描教学由于严格区分光影素描与速写之间的技术关系,形成了一种刻板教条的素描基本功模式,而忽略素描的本质问题,那就是建构正确的思维方式。

本套速写集精选了部分艺术家的不同风格的作品,这些作品都包含了他们对艺术、对生活的独特理解与体验,打破了以往美术院校教学体系中旧的模式,概念性地认为只有长期素描作业才够严谨,而速写是短期作业,难免会有一些概念化,所以大都偏重长期素描作业训练,而忽视速写的训练。我认为速写能有效地培养手、眼、脑协调的写生能力,它的灵活多变性又能生动地表现对象,这是长期素描作业所不能取代的。编辑出版本套速写集的目的在于:要把速写作为学习绘画、设计的必要艺术范畴提出,注重速写的鲜活性特征,帮助学生理解速写的意义,引导学生学会主动地通过速写来培养实践能力,逐渐形成敏锐的艺术感受能力。

这套作品集体现了几位老师在多年教学中积累的速写经验与感悟,希望能给学习速写的人以很好地借鉴。王力老师的作品,体现了他对人物、动物运动规律的理解,几根线条就暗示出了人物性格,表达出了他对动物动势视觉意识,他的电脑速写也是一个大胆的尝试。张文恒老师的作品,以准确的线条支撑起人物的内在结构,表达了自己对人物的理解与感受,充满了情感气息。马成武老师的作品,对人物面部表情刻画尤为生动,深刻地表现了人物的性格,他的聋哑人速写既写意又传神,还富有朝气。王守业老师,他更加关注线在速写中与人物间的对话关系,注重速写的语言趣味和速写的心境倾诉。

李 恒

2004 年 9 月

再识速写

古语云"读书破万卷，下笔如有神"，艺术创作亦如是。若想捕捉住那神来妙笔，没有深厚的基本功是不行的。而今在造型基础训练中，在画家日常创作生活中，速写往往被忽视了。

由于科学的进步，摄影的普及，画家在艺术创作中更多依赖于临摹照片，而丧失了身临其境、在瞬息万变中捕捉生动传神之笔的能力。为此，站在艺术精神的高度，拿着画笔用手、眼、心，倾心贯注于造型修炼、观察、判断和记录现实生活、体验人生是成为有所作为的艺术家的必然选择。

所以说速写不但是画家创作过程中塑造典型形象、勾勒创作草图及探索形式美的一种手段，更是画家感受生活激情、提高艺术素质及判断现实生活的方式。在一个严肃艺术家的创作生涯中，速写同素描一样是技术的起点，又是艺术思维的开端，有它自身的审美价值，是一门独立的绘画艺术，能够比较充分地体现一个画家的能力。因为大师的成功决非简简单单的灵光乍现，它要求艺术家具有极其深厚的综合艺术修养，才能够进行不断的创造。

清代沈宗骞在《芥舟学画编》中提到："观人之神如飞鸟过目，其去愈速，其神愈全，故当瞥见之时神乃全而真，作者能以数笔勾出，脱手而神活现。是笔机与神理凑合，自有一段天然之妙也。"由此可见我国古代艺术家对传神、对速写表现认识的真知灼见。

速写能记录现实生活，表达感情，锻炼眼睛的观察能力，脑子的记忆默写能力及手的表现能力。长时期的速写练习，持之以恒，贯穿于自身的整个艺术创作过程是一个造型艺术家传情寄性的重要途径。

达·芬奇，这位意大利文艺复兴时期的艺术大师曾指出："由于形态与动作多不胜数，记忆无法容纳，所以要以速写为助手和老师。"即使被认为是西方彻底反传统的立体主义代表人物毕加索，他的素描与速写也都有着深厚的古典造型能力。

纵观世界绘画历史，开一派风格先河大师们的成功都与速写的帮助密不可分。从他们的经典速写中我们可以看到这一点，充满节奏与韵律的线形，简洁精炼的绘画表现手法与富于个性和才华的作品尽显出其艺术魅力。

综上所述，速写作为一种具有丰富的艺术内涵和独立的审美价值的生动的艺术表现形式，是一个画家所必须学习并掌握的用以提高个人实际表现能力的必然手段，是艺术家个人综合能力的体现。为此，艺术家应面对五彩缤纷的世界，表现真实感受。把对生命、生活的体验及深厚的艺术修养作为艺术创作不竭的源泉，以古今中外大师们为楷模，用辛勤的手笔捕捉上帝赐予我们的灵感，将美的瞬间变为永恒，在艺术道路上走向更远、更高。

类维顺

2004 年 10 月

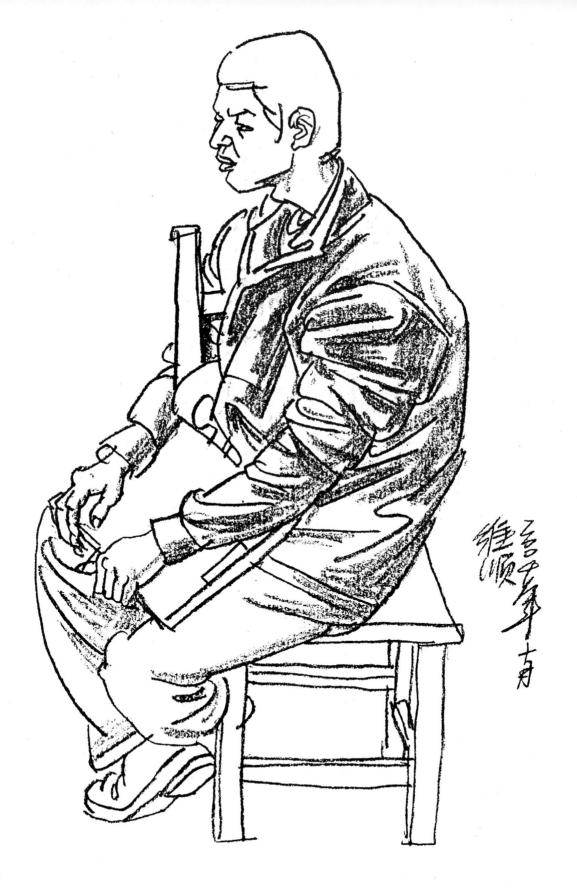

维顺 乙酉年 秋

2000.5.
佐春林

维顺 2004年 秋

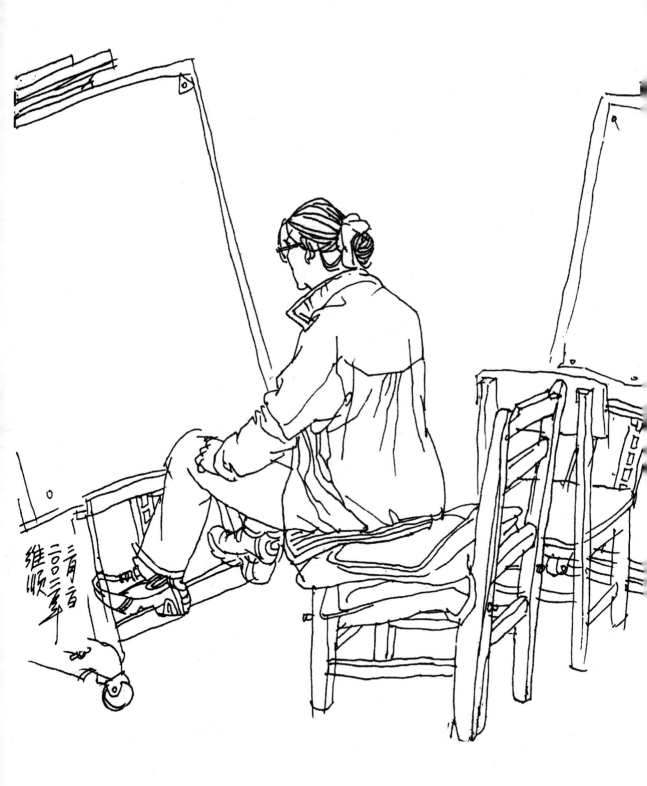

维顺
青言
二〇〇三年

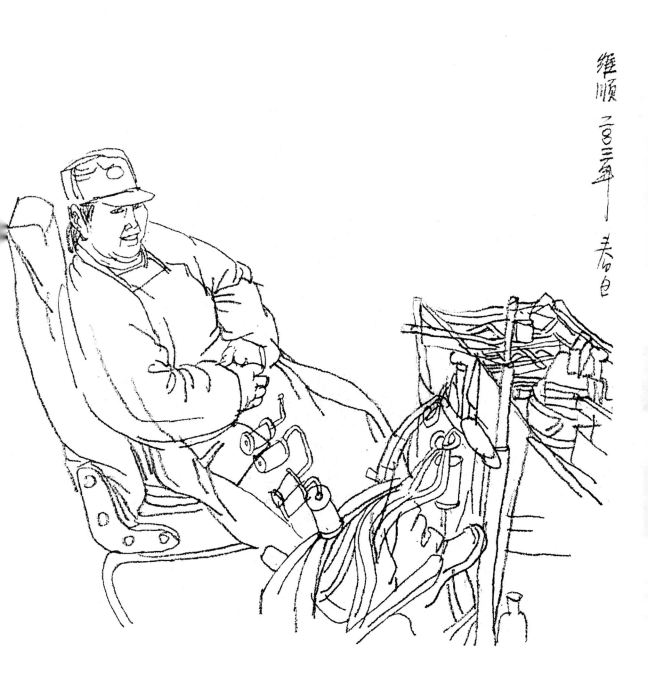

维顺 二O三年 春日

维顺 读头

三月二十六日
二〇〇三年
维顺

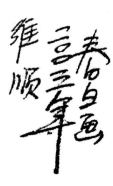

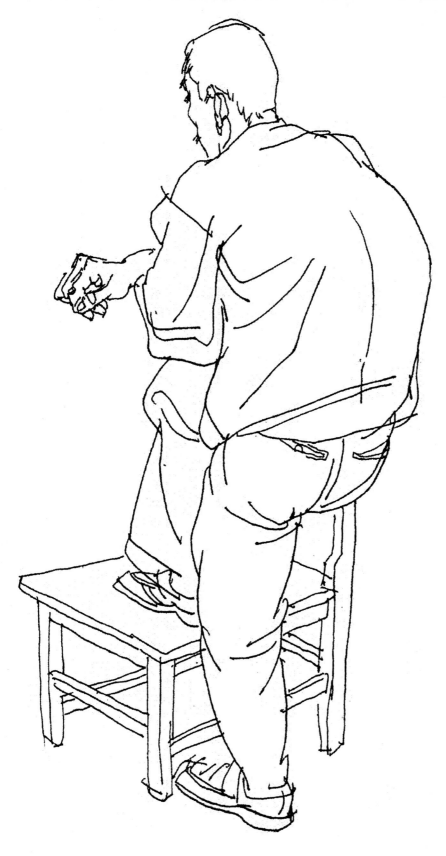

四月二日
二〇〇二年

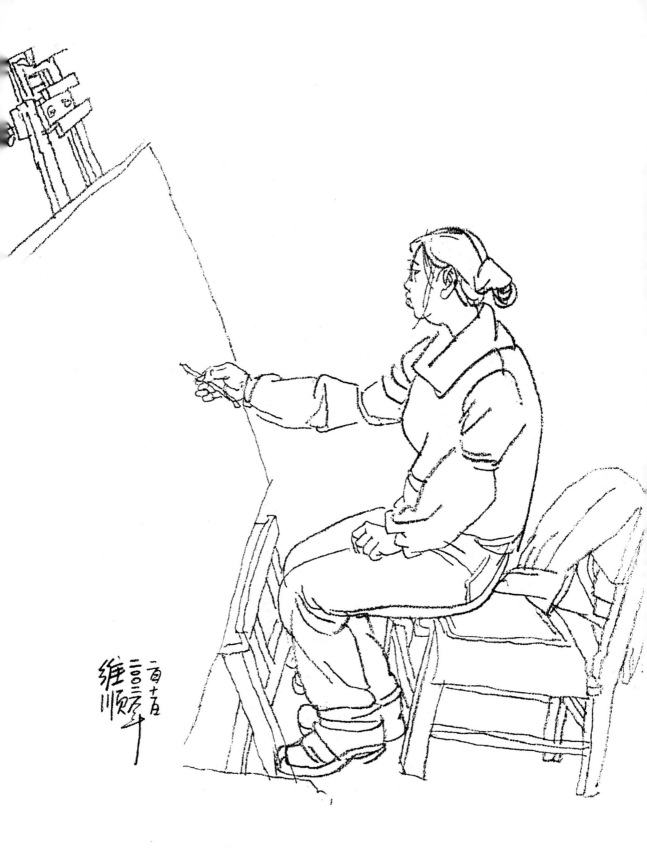

维顺
二百
二三
店
午

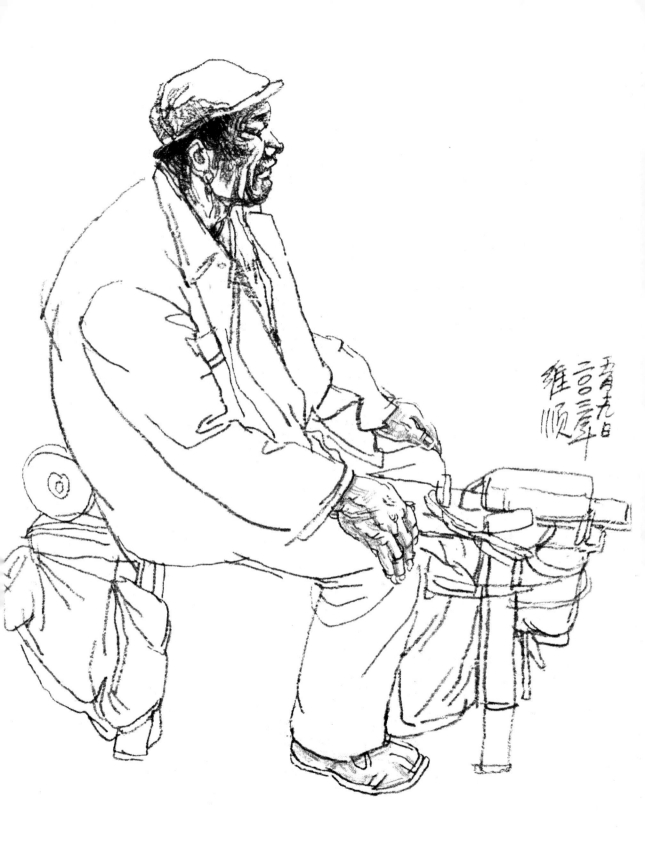

维顺 2003年 夏.

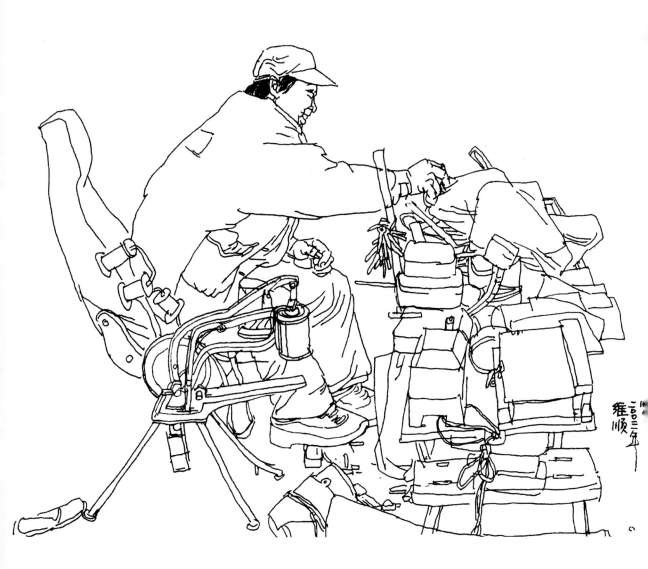

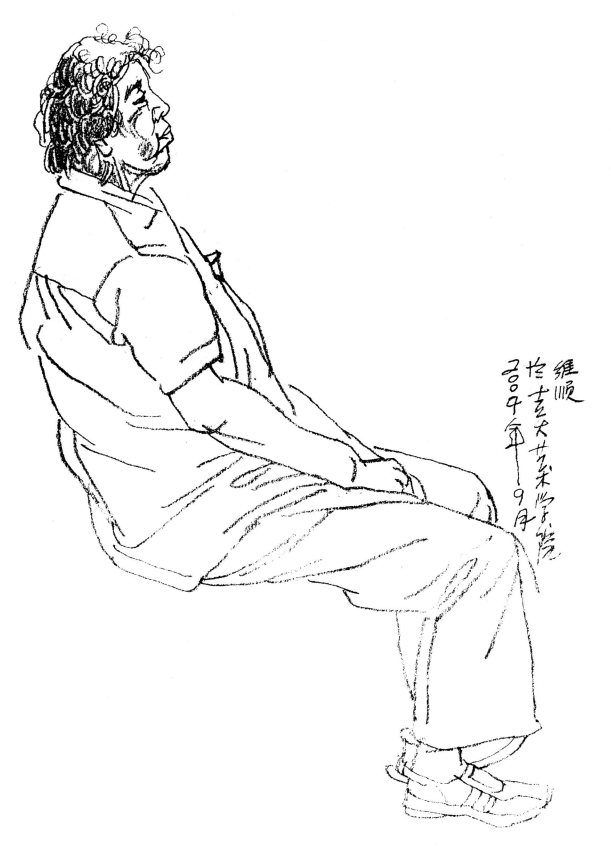

2000年5月30日昆明市

维顺
2003年9月18日

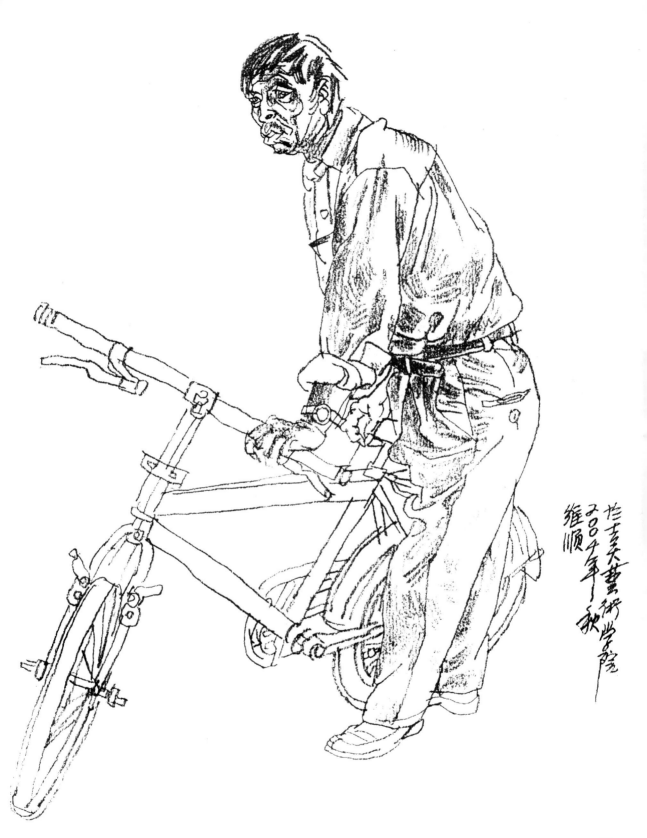

于吉林大学艺术学院
二〇〇五年秋
雒顺

29

维顺 2004年十月女二

程順年秋

维顺
二〇〇〇
年
秋

33

维顺 十月二百 二〇〇三年一

34

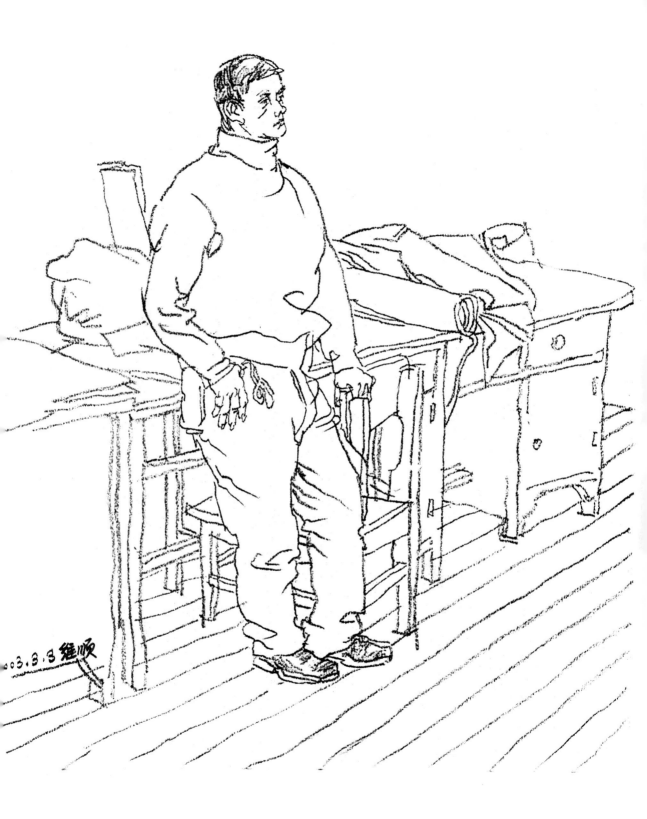

03.8.8 继顺

维顺辛年秋

37

锦顺
二OOO年5月25日

崔顺
2000年5月25日

41

维顺 己巳年 秋

维顺 2024年1 秋

继顺 二〇〇四年 11月 6日

44

45

维顺

47

維順
壬午
秋

維顺 二〇〇四年 冬

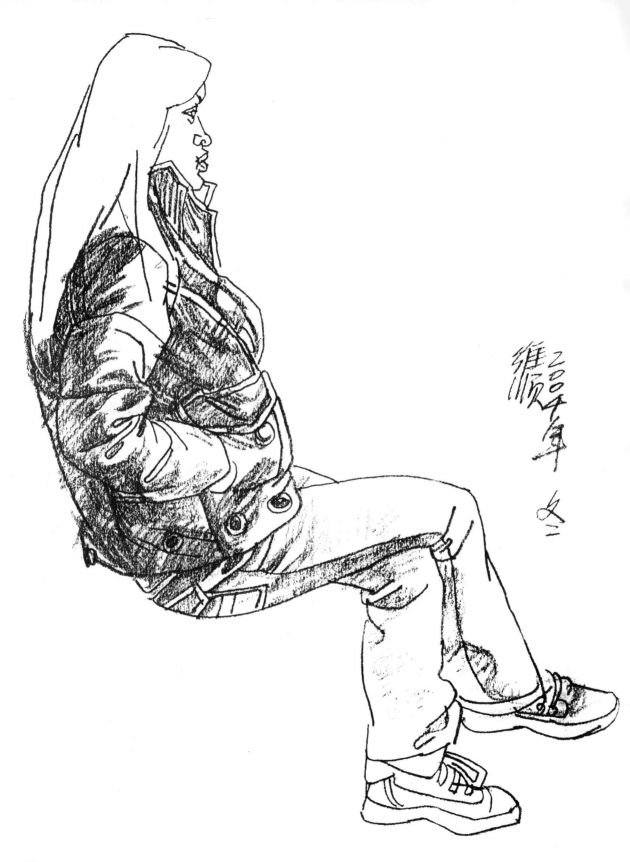

52

維順

54

维顺 2004 夏

55

维顺 2004 年冬

抚顺2004年冬

续 2004年11月10日

61

维顺 2003年春

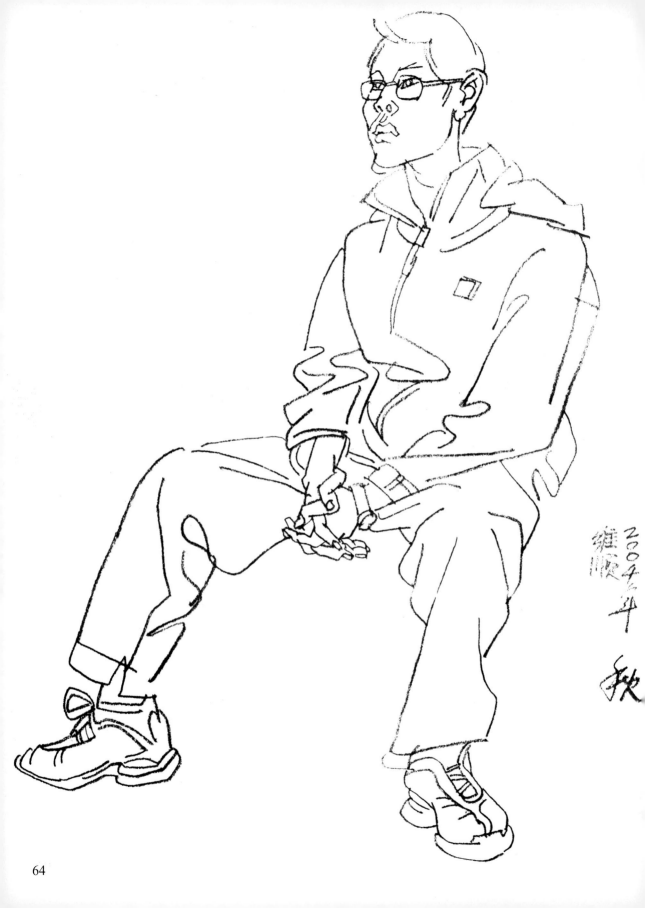

维顺

2004年

秋

维顺 二○○四年

秋

维顺

二〇〇四年一月

维顺 二〇〇四年·秋

维顺 2004冬十 秋

70

維順 2004年10月10日

71

维顺

二〇〇年
夏

维顺

己丑年 秋

73

缠顺

維順
言年秋

76

维顺

维顺
1994年秋

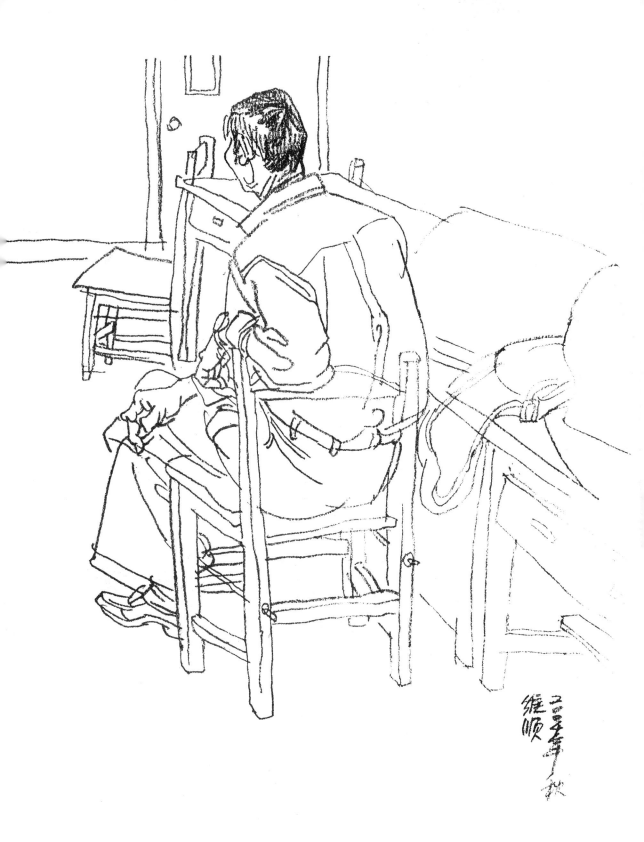

维顺 二零零年秋

继顺
2004年
冬

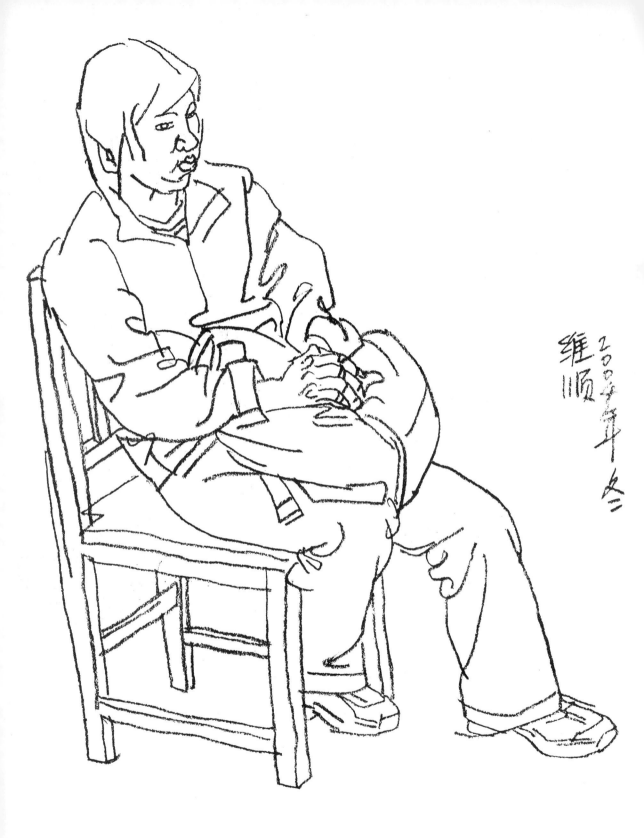

维顺
2003年
冬

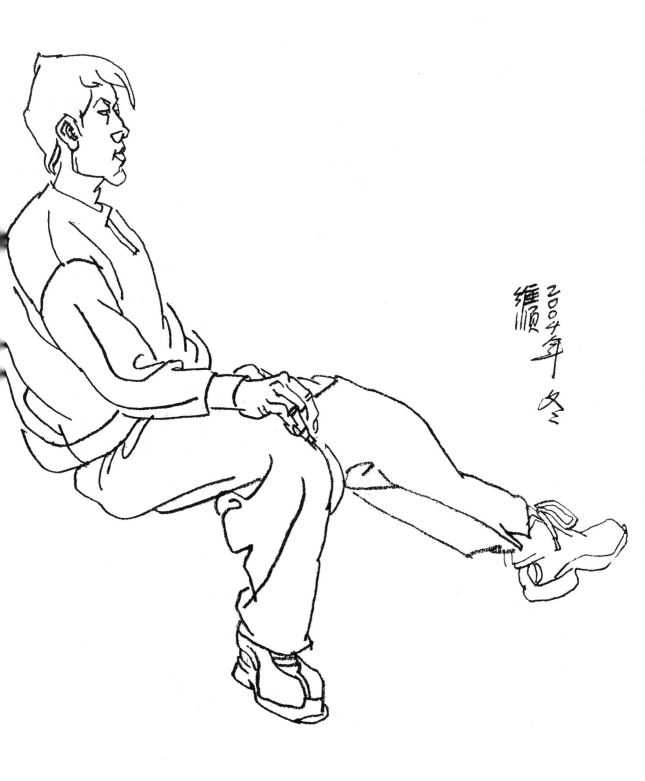

继顺 2004年 冬

維顺 2004年 冬

維順 2008年 冬

维顺 2004年 冬三月

维服 2007年秋

維順 二〇〇三年 春日寫

88

维顺 二〇〇二年 冬

93

维吾尔族言言言

维顺 蜀三十三日 二〇〇三年

维顺
二〇二三年
春日画

记：
长春市
师傅坐
画修车
四月三日
二〇〇三年
维顺

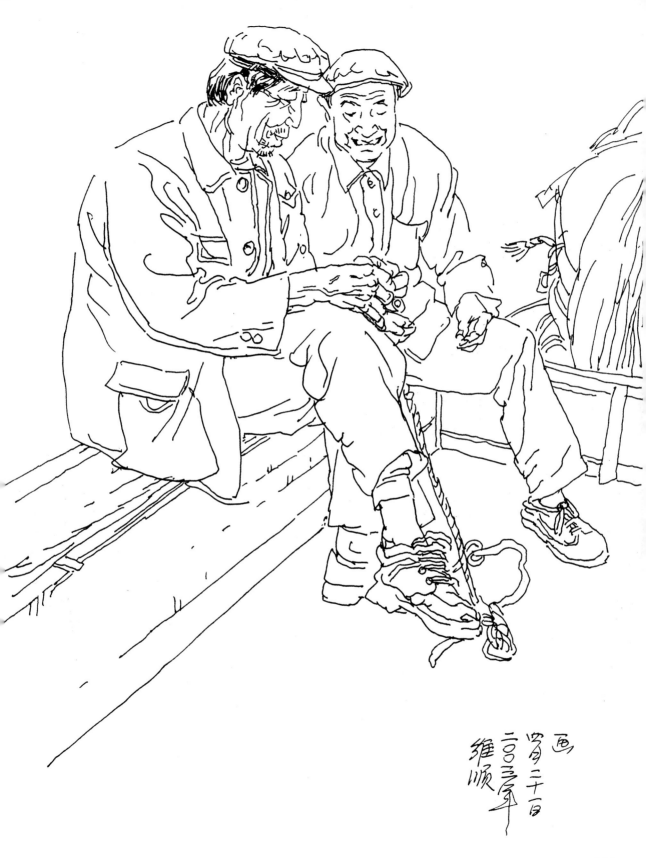

画写二十日
二〇〇三年
维顺

蜀二十三百
二〇〇三年
维顺

维顺 二〇〇三年夏

109

春日画
二〇〇三年
维顺